햇살 맞은 마음이

포근포근

햇살 맞은 마음이 포근포근

발행	2024년 03월 20일
저자	햇살시인
펴낸이	한건희
펴낸곳	주식회사 부크크
출판사등록	2014. 07. 15(제2014-16호)
주소	서울특별시 금천구 가산디지털1로 119 A동 305호
전화	1670-8316
E-mail	info@bookk.co.kr
ISBN	979-11-410-7736-5

www.bookk.co.kr

햇살 맞은 마음이
포근포근

햇살시인 지음

BOOKK✎

시인의 말

평온하고 소중한 마음이
그저 스쳐 지나가지 않도록
글을 적어 보는 시간을 가져봅니다

문득문득 떠오르는 기억과 추억 사이
그리움과 행복이 피어오를 때

가만히 그 마음을
시와 함께 나누어 봅니다

자연 안에 무엇이 있기에 이토록 물 들어가는지
가만히 가만히 들여다봅니다

/ 차례 /

제 1장
계절이 나누어주는 잔잔한 기쁨

제 2장

햇살 따사로이 내려앉은 언저리에

제 3장
한 송이 꽃처럼 사랑은 피어나고

제 1장

계절이 나누어 주는
잔잔한 기쁨

돌아온 봄봄

우리의 봄은
겨울 너머 언저리에도
머물러 주었었지

어느새 껑충 뛰어
품 안으로 들어오네

어제 같은 작년의 봄
일 년 넘어 돌아온 봄

꽃으로 다시 태어나
나를 꼭 안아주네

사랑해주네

봄날의 설렘

봄날의 기쁜 설렘

몽글몽글 피어오르는
하얀 기다림

처음과 끝만이 아닌

우리 삶의 여정과
함께 흐르며 피어오르는

희망의 꽃망울

달콤한 봄

봄 향기 살짝 너무 달콤해
마음속에 알록달록 꽃 피겠네

제비꽃의 다정한 속삭임

힘찬 발걸음을 내디뎌 본
어느 봄날의 오후

보랏빛 연한 꽃잎의
다정한 속삭임이
바람에 흔들린다

홀로 있어도
혼자가 아냐
함께 피고 지며
한 세상 살아가는 이야기

작은 태동에도
예민해지고 싶어

작은 봄날의 이야기에
귀 기울이고 싶었지

봄날의 소박한 설렘
그날의 마음으로 한해를
살아갔지

봄물

마음 깊숙이 끌어 올려

활짝 피워 버리는

봄 결의

꿈속 같은 미소

봄의 꽃이여

한걸음
한걸음

더디게 오더니

사랑 고백하듯

피어나 버리는

봄의 꽃이여

꽃 한 송이

가냘픈 가지 속에서 움트다
3월 꽃샘추위 틈
따뜻한 바람에
꽃 피워버렸네

한 송이 조그만 노란 꽃잎
살포시 열어 세상을 보네

봄 햇살 얼굴 마주 보며 싱긋
새들의 지저귐 들어보며 생긋

봄을 맞는 꽃 한 송이에
행복이 싱긋 생긋

우리 마음에 바람 들겠네

봄비의 두드림

쿨쿨 해님 늦잠 자는 날

고요하던 대지를 적시는
빗방울의 살가운 인사

톡톡 토도독
봄비의 두드림

땅 문을 열고
연둣빛의 어린 새싹들

경중경중 고개 들고 일어나

봄비의 투명한 내음
쓱쓱쓱 내쉬어 본다

꽃비

봄비가 내리면
살포시 거닐어 본다

흠뻑 젖어 있는 꽃들도
내 맘처럼 촉촉해진 걸까?

고개 숙인 꽃잎의 수줍은 모습
막 세수한 듯 청초하고 뽀얀 얼굴

봄비 속에 내린
축복의 미소

청정해진 마음이
꽃비 속을 걷는다

명자나무

빨갛게 꽃 피운 명자나무를 만나면
내 마음도 내 입술도
내 볼도 빨갛게 물들이고 싶다

예쁘게 물들이고 꽃 피운 명자나무
누굴 만날까?

해지기 전
환하게 피어있을 때
나누고 싶은 사랑

나도 따라 나누고 싶다

명자나무꽃 시들어가기 전에

지칭개

이름이 있을까?
아직 덜 핀 건지
피었다지는 건지
한없이 사소로워 보이는 풀꽃

이름을 알아야 했다

지칭개
국화과
두해살이풀
꽃말 고독한 사랑 거짓말은 싫어

하늘하늘 바람의 줄기가 키워 낸
연보랏빛 솜뭉치 꽃

고독할지라도
거짓말은 하지 않아

지칭개의 흔들림이
너무나도 아름다워
마음을 울려

6월이 오면

꿈 같은 봄의 장난스러운 몸짓에
싱숭생숭 떨어지던 꽃비 맞으며
끝내 시달리던 계절을 보내고

6월의 푸른 들판에 들어서니
긴 초록의 시작이
뭉게뭉게 두둥실 펼쳐진다

초록의 향기로운 얘기들
푸근하고 여유로운 노래가
귀를 간지럽히고

여름밤의 여운
내 맘에 담고 싶은 건

영혼의 울림
깊어 가는 심장

비가 내리면 여행하듯 거리를 걸어보고
한밤중 열대야에 잠도 설쳐보며
청춘의 여름밤처럼 낭만에 젖어보고 싶다

병꽃나무

길을 걷다 어느 날
가슴속에 들어와 맺힌 나무꽃 하나

나도 모르게
유별히 각인되는 꽃이 있다

어디서든 다시 보게 되면
심장이 뛰고

반가움에 눈시울이 떨려 오는
그런 꽃이 있다

질경이

점점 덩치가 커지듯
뻔뻔해지는 것 싫어

여린 감성 감추고
강한 척하는 것도 싫어

화려하지 않으면 어때
예쁘지 않으면 어때

여기 질경이를 봐

밟혀도 기죽지 않아
투정 부리지도 않아

비 내리면 깊게 호흡하고
해 나오면 쑥쑥 자라나며

풀잎 같은 꽃 피우고

당당하게 자라나는
건강한 푸른빛을 보아

비 내리는 아침

비 오는 아침은
특별하지

비가 들려 오는 소리는
베이스기타처럼
깊은 울림을 깔아주어

잠들어 있는 감성을
두드려 깨워 주는 듯

새로운 느낌으로
나를 깨어나게 해

뜨거운 계절

젊음이 빛이 되는 계절
가장 뜨거웠던 계절

하늘하늘 흔들리는 포플러 잎사귀처럼
우리의 이야기는 싱그럽고 아름다웠지

우리의 계절은 바다의 윤슬처럼
눈부시게 영원하길 바랐지

우리 서로 사랑했던 시간은
모래성 안의 꿈처럼 흩어졌지만
바래지 않을 추억이라는
낭만 속에 묻어두길 바라지

나는 오늘 그해, 우리의 추억을
여름의 빛으로 그려보았지

여름이 가고 가을이 오면
더 깊어져 갈 추억이라 말하면서

소나기

투두둑 툭툭

창문으로 부딪치는 거센 빗줄기
하얀 물줄기 되어 흐르면

멍하니 바라보며
정지되는 시간

피붓는 빗줄기에
정화되는 생각들

한낮의 시원한 소동

한여름의 반가운 손님

비 내리는 하천에서

비 많이 내리면
물 흐르는 소리 들으러 가야지

시원하게 흐르는 물 따라 걸으면

내 맘도 막 흘러넘쳐

막 행복해지는 것 같아

가을비와 모닝커피

비 내리는 아침
외투 하나 걸쳐 입고

평소보다 조금은 서둘러
커피 한 잔을 내려 온다

목을 타고 내려오는 커피 빗물

비처럼 음악처럼 그윽하게 보내는
가을비와 모닝커피

감각적인 감성의 울림

음악을 들으며
비 오는 날의 감성을 토닥토닥

가을을 지나는 바람

가을빛이 평화로이 퍼져가는 길가에
한줄기 두 줄기 보드라운 바람
등줄기 땀 스치며 불어올 때마다
너무나도 사랑스러운 기분이 들어

어느 날의 아름다웠던 풍경이 떠오르고

지난날 스쳐 지나간 고마운 사람들
아름다운 사람들도 생각나

어떻게 그리 아름다웠는지
이제 와 새삼스레 더더욱 느껴지는 건지

아름다운 날에
아름다운 것들이 자꾸만 생각나

깊어져 갈
가을을 어떻게 해야 할까?

꿈을 꾸듯 좋은 가을에

하늘 높은 곳에서 불어오는
청량한 바람에
흔들리는 잎사귀

가을로 접어든 햇살이
부서지는 오후

꿈을 꾸듯 그냥 행복해할래
그냥 좋구나 할래

가을하늘 뭉게구름
마음에 담고 싶도록 푸른데

그냥 주저할 것 없이
좋구나 하자

노랑 은행잎 날리어가면

은행나무잎 떨어진 노랑 돗자리 길
일렁이는 바람에 잎사귀 날리어가면

노랗게 물든 마음은 여행을 시작하고
추억의 여행길 방울방울 피어 오른다

애틋함은 더해지고
그리움은 짙어지네

가을 색이 만연한 오늘
코끝 찡해져 오는 추억

귀여운 나뭇잎 여행길
세월을 따라가네

늦가을의 분위기

왠지 말이 없어도
가만히 있어도 좋은

늦가을의 분위기

약간의 음악만이
흘러준다면

살짝 고독해진 가을도
괜찮을 것 같다.....

가을은 오감으로

봄꽃만큼이나
아름답게 물든 낙엽을 쫓으며
두 눈이 행복해져 갈 때면

잠시 숨을 고르며
가을 공기를 깊게 들여 마셔본다

낙엽 밟는 소리
저벅저벅 오고 가는 소리
짧기만 한 인생을 걸어가는 소리처럼 느껴져

쌉싸름하게 입속으로
채워지는 단내는
가을과 나눈 입맞춤의 흔적일까?

가을이 가는 게 싫어
부둥켜안고만 싶어지네

가을의 일생

처음에 가을은
늦여름의 열기를 식히기 위해
태풍을 몰아와야 했다

가을은 열매를 익혀가고
나무들의 옷도 곱게
입혀줄 줄 아는 고운 친구였다

어느샌가
가을은 기울어 가고

서늘한 비와 함께
조용히 저물어 가야 했다

슬퍼 보여도 할 수 없이

가을아 가을아

가을아 가을아

그렇게 걸어서 오기를

뛰어오지도 말고
뛰어가지도 말고

그렇게 걸어서 와서
반가운 인사 나누며

막걸리도 나눠마시고
달큰히 취하거든

아주 살살
그렇게 뒷걸음치면서

서로 마주 보며
인사 나누고
떠나가기를

겨울나무의 성장

소리를 들어보세요
희망이 싹트는 이야기를 들어보세요

겨울나무 끝
하늘과 맞닿은 곳

짧아서 아쉬운 겨울 해
그윽하게 앉아 쉬어가는 곳

하늘 향해 커가는 나뭇가지의 성장

평범한 하루도 허투루 보내는 날 아니기에
생의 따스함은 식지 않음을

사랑은 멈추지 않음을

겨울밤

겨울이 도달한 저녁
보랏빛 황혼 녘

초승달을 걸어 두고
가볍게 내려앉는다

긴 긴 밤
올려다본 하늘엔

하얀 별사탕
콕 콕 콕

얼어붙어 버린
까만 밤

겨울의 햇살은

다정한 친구의 목소리처럼
따스하고 아늑한 햇살

겨울의 햇살은 참 살가워

아침의 스산함 누그러진 자리
환한 햇살 풀어져 있는 곳

정다웠던 옛친구처럼

햇살 맞은 마음이
포근포근

도시의 겨울밤

도시의 밤을 비추는 달빛 아래
거리를 걷고 있는 사람들 사이
말라가는 나뭇잎
시린 한숨을 쉬어

꽁꽁 얼어가는 오늘 밤엔
무언지 서운한 마음이 들어
괜한 나의 외로움
오늘 밤이 지나면 걷힐까?

아득한 하늘은
그저 말없이 나를 바라만 보네
서늘한 바람만 불어다 주네

오늘 같은 밤에는
추억의 노래를 들어볼까?

부디
포근한 밤이 되어 주기를

새해 일출의 희망

어둑어둑한 하늘
서늘한 기운 깨우고
동그란 해가 떠오른다

하루도 거르지 않은 해의 하루처럼
어느 하루도 거른 날이 없음을

지금껏 살아 온 나의 하루하루를 이어간다

새로이 떠오를 나의 하루를
새로이 희망하여

한파

혹한 추위가 무서워서
마음이 얼어가듯
몸도 같이 움츠려든다

뜨신 밥에 겹겹이 옷 껴입고
무얼 그리 벌벌 떠는지
내 마음이 참 처량하구나

추운 줄도 모르고 뛰어놀았던 때처럼
추위와 함께 놀아보자

힘을 내보자

겨울은 가고 추억은 짙어지고

나무의 나이테처럼
계절의 층이 또 한 겹
쌓여 갑니다

얼었던 눈이 녹는 것처럼

세월은 흐르고
추억은 짙어져 갑니다

봄을 기다리며

지난봄

개나리꽃 핀 길목에서
꽃 같은 한해를 꿈꾸었고

햇살 비추는 풀밭에서
아기자기하게 피어난 꽃들로
살짝 얼어있던 마음 다정히 풀리었지

꽃을 시샘하는 꽃샘추위 바람도
꽃차 한잔으로 다독이며

겨울은 짧게 불고
새봄이 오면 좋으련만

봄 생각만으로
조금은 따스해지는 기분

봄을 기다리며

제 2장

햇살 따사로이
내려앉은 언저리에

어쩌겠어요

늘씬한 허리춤 아래
쭉 뻗은 다리
하늘거리는 걸음걸이
까르르르 젊은 웃음
부러우니 어쩌겠어요

어쩌겠어요
아침 햇살 하얀 테이블 위
향긋한 커피 한잔과
곁들일 브런치
사랑의 속삭임
부러우니 어쩌겠어요

늦잠이나 자고
일어나야겠어요
몸이라도 개운하게요

괜찮다는 마음으로

깡마른 낙엽마저 떠나간 황량해진 어느 날
얇아진 나무줄기 사이로 서늘한 바람 불어오는 날
시리도록 하얀 눈발 혼자 무성하게 날리는 날
그런 날에 나는 어떨지 괜찮을지 알 수 없어

하지만 힘을 낼 거야
힘들어도 잘 살아내기 위해
잘 살아오지 않았나 싶어
슬픔과 행복은 한 끗 차이일지도 몰라

햇살 가득 쏟아지는 날이나
비바람 세차게 부는 날이나

나는 괜찮다
나는 괜찮아

그렇게 괜찮은 날에
괜찮다는 마음으로

초심

초심이 흐려져 갈 때
초심을 바로 잡기 위해
초심에는 무엇이 없을까를 생각해야 했다

초심에는 욕심이 없고
선한 마음이 자리하고 있었구나

위로하고 위로받으며
위안이 되어 주기를

그것으로 충분하다는 마음
감사하다는 마음 하나로

무상

중요하다고 생각되는 것이
중요한 게 아닐 수 있음을

부럽다고 여겨지는 것이
부러운 게 아닐 수 있음을

좋다고 하는 것이
좋은 것만은 아닐 수 있음을

나쁘다고 하는 것이
나쁜 것만은 아닐 수 있음을

사랑의 감정

비슷비슷한 감정의 소용돌이에서
많은 날을 지내며
잃고 싶지 않은 감정들

따스함
애틋함
설렘
그리움

되풀이되는 감정의 패턴에서
사랑으로 남아있어 줘서
참으로
고맙다

참으로
좋다

굿나잇 인사

유리알 구슬처럼 슬픈 따스함으로
하루를 마감하는 밤

얄팍해진 이야기와
미세한 감정의 갈라진 틈 사이로
바람들었던 하루

옷깃을 여미듯
마음을 여미고
심신을 단련하듯
감정을 다독인다

마음이 말캉해지는 밤

슬퍼서 다행인
따뜻하게 잘자요
인사하는 밤

포근히 이불 덮고
깊어 가는 잠 속에서
굿모닝 하는 밤

핏빛 사랑

영혼으로 투과 되어질 때

두 눈은 감아지고
사랑은 깊어져

내 영혼까지 가져갈 때

고독은 깊어지고
눈물 맺힌 마음만이
나를 위로하리라

연륜

깊어 가는 주름
늘어 가는 나잇살에는
무릎 꿇어도

빛나는 눈동자에 담긴
깊어진 마음은
우릴 무릎 꿇게
할 수 없지

외로움이 피워 낸 꽃

언제나 채우고 싶었지

빈 공간 속으로
느껴지는 외로움

금세 금세
채워지길 바랐지

빈 공간이 있어야
외로움의 꽃도 피어
머물다 가는 건데.....

행복은 차분히 오는 것

아기자기하게 소담스러운 따스함

차분하게 내려앉아서 평화로워진 느낌

쨍한 추운 날도 감사하게 보내니
따스해진 날씨만으로도 행복해지는 봄이 오네

이래저래
조금씩 좋아지는 날의 경험

가끔 느껴지는 어려운 마음은
기분 탓으로 돌리고

하늘 한 번 더 바라보며
사랑스러운 것들에 빠져 본다

뜨거운 포옹

복잡했던 감정의 시간
자유롭지 못한 공간을 떠돌며
헤매던 날들

풀리지 않고 넣어진 가슴

어느덧 세월이 흐른 뒤
평온해진 마음으로
그 시간과
뜨거운 포옹을

마음에서 우러나오는 평화

힘들었던 기억도
되돌리고 싶은 아름다운 기억도

그냥 이대로 괜찮다는 마음으로
뜨거운 포옹을

온전히 나로 인해

온전히 나를 이해해 줄 사람
온전히 나를 사랑해 줄 사람
온전히 나를 행복하게 해 줄 사람

나와 가장 가까운 사람
바로 나 자신임을

나로 인해 살아감을
나로 인해 행복해짐을

아름답고 고운 이름, 인생

사랑한다 사랑한다
수없이 되 내어도
아쉬운 인생길

어느 하늘 아래
어떤 의미를 부여잡고
붙든 건지
불 들린 건지 모른 채
그렇게 살아가건만

그렇게 살아가는 것이
인생의 길이겠지

외롭고 외로워서 더 외로운
그립고 그리워서 더 그리운

인생이란
외롭고 그리워서
더 아름답고 고운 이름일지도 몰라

순수한 쾌락

진정 이대로 문제가 없다 느낄 때부터
충분히 괜찮다고 느낄 때부터

살아있다는 존재로서의 순수한 마음 상태

그런 기분 좋음은
싫증이 나지 않을 유일한 쾌락

싫증이 난다면 주저할 거 없이
순수함을 의심해

진정한 순수함만이 끝까지 살아남으니까

어쩌면 우린

어쩌면 정말
길가에 핀 풀꽃 한 송이처럼

어쩌면 끝내
슬픔을 앓다가 가고야 마는

어쩌면 우린
서로에게 따뜻한 눈물이 되어 주는

어쩌면 말야
공기 속을 떠돌다 기꺼이 만나고야 마는

어쩌면 그렇게도

마음은 알고 있었지

소위 소소하다 일컬었던 것들의
향기로운 이끌림

그냥 스쳐 지나갔었지만
이제는 알아볼 수 있을 것 같아

빛나는 마음이,
소중한 것이 무엇인지를

시간이 흘러갈수록
그리워지고 짙어가는 마음의 울림을
마음은 알고 있었지

작고 소중하다 일컫는
소소함의 사랑을

행복이라는 생각

우리, 지금부터 행복 하자

고대하며 기다려 온 내일은 너무 멀어
한참을 지나온 어제도 힘들었잖아
오늘 이 순간부터 조금씩 행복해지기
가장 쉬운 것부터 실행해보기

하나씩 짐을 덜어내듯이
둘러싸고 있는 걱정과 염려
욕심과 욕망을 조금씩 벗어 버린다면
얼마나 홀가분할까?

그런 기분이 행복이라는 생각이 들어
안도하고 감사하며
나에게도 타인에게도
따뜻한 마음을 내어주는 일

부드러운 눈길로
바라보는 세상 속의 일
이해와 배려의 순간
빛이 나는 마음속의 행복을 가득히

긍정적인 생각

젊다는 것
젊음 자체에 농락당하지 말자

나이를 먹는 것은 살아있다면
똑같이 주어지는 덧셈

늙는다는 것은 어쩌면
생이 쥐여 주는 결실

시간의 흐름 속에서
자연스럽게 흘러갈 수 있도록
나를 단련하자

겨울빛 숲 그림

자작나무 숲에 눈이 덮이고
회색으로 가라앉은 하늘

빛을 잃은 숲에
청명한 하늘의 색깔을 덧입히다

붓질 할 때마다
마음을 투과해 버리는
빛의 입자들이
숲을 치유하고
마음을 치유하는
하늘로 살아난다

청정한 하늘을 품은 숲이
숨을 쉬기 시작한다

값진 행복

돈으로 살 수 있는 값싼 행복보다

돈으로 살 수 없는 값진 행복을

누려보자

나만의 이끌림

보송보송한 선명한 색감의 신상품
왠지 변하지 않을 것 같은 느낌
세월이 흐를수록 바래져 가네

수십 년 전 들었던
비에 젖어 있는 그 노래들은
비 오는 날
어찌 그리 여전한지

취향은 그러한 것일까?

변하지 않는 고유한 감성

믿을 수 있는 건
나만의 이끌림

내 안의 심미안

겨울 햇살의 온기로

서성이듯 표류하던 마음
힘을 잃어 무표정해지고

동지 며칠 지난 하루의 해
짧아서 어두워진 거리

괜스레 울적해지는 날들

오늘 다시 만난 햇살의 따사로운 눈부심
고마워

부디
무뎌져 가는 겨울

하루의 끝까지
온기로 머물러 주길

커피 향 나는 가게

아기자기한 커피집은
커피 내려 주는 사람의 분위기가
녹아 있다

나긋나긋 소박한 공간의 분위기
쉬었다 가길 바라 주는 마음

따사로운 느낌들이 떠다니니
따사로운 추억 같은 이미지가 떠오르고
나는 차 한 잔의 여유를
가지게 되네

이런 느낌들이 좋아
하루하루가 따스해지네

간절한 마음을 읽는다

슬픔 불안 불신
어둠의 그늘
세상은 불완전하고 모순투성이

기울어져 가는 발걸음
한숨이 차 오른다

긴 숨을 고르다

생의 이면을 바라볼 수 있는
햇살처럼 좋은 사람들

그들의 책을 찾는다

어둠 속에 있을 때
더 빛이 나는 법

생의 무상함을 알아
마음은 충만해지고
겸손해진다 일깨워주는
간절한 마음을 읽는다

사라지지 않는 것들

기억 속의 일이 추억이 되도록 곱씹는다

나에게서 사라지지 않는 것은 무엇일까?

소중한 경험들

흘러가는 세월 속에서 모두 저장할 수도 없고
때로는 모두 기억할 필요도 없지만

오늘 보낸 시간

오 년 후 십 년 후
어떤 기억이 남아있을지 알 수가 없다

끝까지 견디어 살아남은 나의 삶

부디 다정하길
부디 온전하길

어떻게든 사랑이길

진심

직접적으로 표면적으로 전달되지 못한 마음

늘 걱정하며 의심하던 마음

어느 날 발견한 진심의 말

그 마음에
두 눈이
심장이 젖는다

창가에서

겨울에 봄꽃처럼 활짝 피어오르는 꽃이 참 살갑다

햇볕 흐린 창가
코끝에 머물러 있는 꽃의 향기

커피 한잔의 달콤한 여유로움이 더해지니
지난 기억의 꽃들도 생각이 나네

이곳이 나의 힐링 포인트였구나

이런 작은 공간과 시간이 있어
하루하루의 행복을 찾을 수 있는 거구나

소중한 일상의 치료제

마음의 온도를 조절해 주는 공간

고맙고 참 좋구나

사랑할수록

기억은 짧고
추억은 길다

추억할수록
길어지는 삶

짧은 인생

사랑할수록
추억은 남아

지나가리

새로 나 온 물건들은 반짝이며
마음을 유혹하지

부족하다 느껴지는 곳에 찰싹 달라붙어
화려함과 누추함 사이에서 절망하게 하지

언제나 그렇듯
고민에 빠져들게 하는 패턴에
우린 속고 마는 것

잠시만 생각해보면 유혹일뿐이라며
지나갈 수 있을 거야

내가 원하는 것

눈을 씻어내야 하는 일은 안 보고
귀 또한 씻어내야 하는 일은 귀 닫아도
보고 들으며 살게 되는 세상 속

맡고 싶은 향기에 취하며
보고 싶은 풍경에 빠지며
듣고 싶은 노래에 흥하여
살아가는 날도 많아야지

그래야 우리 사는 세상이
좀 더 아름다워 보이지

풍성해지는 삶

삶의 날들이 누적되어가는
한층 풍성해진 느낌으로

그날의 풍경과
오늘의 일상이
잘 버무려져

빛이 되는 기쁨을

나를 사랑하는 일

감사하고 고마운 일
나직하게 적어 본다

겸손을 그렇게 강조하는 이유를
알 것 같은 시간

우리는 알고 저지른 죄보다
모르고 저지르는 죄가 많기에
우리에게 겸손할 수밖에

인생은 길가에 핀
풀꽃처럼 바람을 타고 흔들리는 것

눈을 감고 가볍게 호흡하며
온전한 나를 느끼고 보살피는 것

나를 사랑하는 일

절제

절제의 기다림은 달콤함을 낳고
탐욕은 달콤하나 쓴맛을 남긴다

마음의 등불

마음 깊이 담아두었지

그냥 꺼지도록
그냥 사라지도록
마냥 떠돌게 놔둘 수 없어서

마음 안에 작은 등불 하나 켜 두었지

따뜻한 위로 받으며
외로워할 수 있는
밤이야

시집을 좋아해 줘서 고마워요

TP, TJ 들은 어떨까?
FJ 들은 괜찮아할까?
FP 들은 좋아하거나
어느 정도
공감해 주지 않을까?
아닐까?

나를 위로하려 하는 생각

애독자를 찾습니다

MBTI 몰입 중입니다

82

고요함의 시간

세상이 고즈넉한 시간

고운 환한 빛
깨어나는 곳

그대 진정 고요함을 알고 싶다면
새벽녘에 머물러보라

행복의 보너스

환한 미소를 닮은 하루를 보내고 싶어요
힘이 들 땐 잠시 쉬어가며
내가 할 수 있는 일에 감사하며 다행이다
웃어요

행복해서 웃는 것은 당연지사
웃어서 행복한 것은 내가 줄 수 있는 행복의
보너스
오늘도 기분 좋은 날 되세요

제 3장

한 송이 꽃처럼
사랑은 피어나고

굿모닝 커피

제일 아끼는 보송보송한 컵 꺼내어
굿모닝 커피 한잔 내려요

향기에 먼저 취하는 시간

특유의 신맛과 함께
달콤한 끝맛의 유혹
굿모닝 커피 한잔 나눠요

커피 한잔의 잔잔한 위안으로 시작하는
우리들의 하루를
축복합니다

사랑 이야기

아무도 없는 방안에 앉아
사각사각 소리 내어
읊조리듯 써 내려가는 사랑 이야기

풋 사과색 연필 입에 물고
상상 속 애기 꿈꾸다
새콤달콤 비타민 색연필 그어보며
들릴 듯 말듯 나직하게 불러보는 사랑 노래

언젠가 마음의 농도 옅어져 버릴까?
알록달록 물들여가는 잊히지 않을
사랑 이야기

나를 위로해줄 노래

고르지 못했던 하루의 호흡
자꾸만 흐려지던 초점 잃은 눈망울
긴장으로 멈춰지던 시간

부드럽고 섬세한 고유의 음성으로
슬프고 힘든 마음을 어루만져줘

귓가에 속삭이듯
따스한 위안이 되어 주는
영혼의 목소리

나는 이제
노래의 숨어있는 깊은 숨결까지
듣게 된 걸까?

이별의 시그널

성글어진 연락
흐트러진 말투

견디기 힘들어
먼저 돌아서 보지만

변하지 않은 마음은 나라서
뒤돌아 흘리는 눈물

회한

한참 후에서야 내게 마음 써 준
네 마음 자꾸 알게 돼
내 마음은 따뜻해지고 사랑이 쌓여 가

네게 잘해주지 못한 서툰 기억은 잊히지 않고
눈 속에 맺히고 아쉬워서 먹먹해지곤 해

살다 보니 마음속에 많은 생각들이 뒤바뀌어
차라리 서운했던 마음 그대로가 나을까?

점점 깊어져 가는 삶 속에
이제 알 것 같기만 한데
세월은 돌아오지 않는 강물처럼
멀어져 가네

가로등과 사랑의 그림자

밤으로 걸어가는 길목 아래
가로등의 고독을 안아주는 그림자 하나

밤을 닮은 사랑 노래를 불러 준다
정말로 따스한 사랑이 느껴져

깊어져 가는 외로운 마음 재워주고
이내 사라져가는 그림자 하나

별을 닮은 이별 노래를 불러 준다
소담소담 정겨운 사랑담아

환상통

미래의 어느 날
우아한 곳에서 낭만적인 시간
행복한 느낌을

얼마 지나지 않아
그날이 도래하길 바라는 마음
행복은 잡으려 할수록
멀어지는데

환상의 기쁨
상상 속의 세계
지어낸 곳에서 만나지
환상 속에서만 이야기를 나누지

달콤한 속삭임
더 행복할 거라고 나를 속이지
알고도 모른 척하고 싶은 마음처럼
나는 속고 싶은지도 모르지

진정 깨고 싶은 건지
진정 묻고 싶은 건지
모른 체

Word

마음을 담은 글자는 모양이 되고 색을 입어
어떤 의미가 되어 위로가 되어 주네

어느 날 어느샌가
나도 모르게 소중히 써 내려간 글은
나를 새롭게 하고 그렇게 살아가게 하네

풀잎 같은,
햇살 같은 마음을
써 내려가다 보면

그 향기는 행복을 담아
나도 향기로운 사람이 되어가는 걸까?

머무르고 있었다는 걸

이제 슬프지만은 않아
이제 아파하지만은 않아
사랑이 전해오는 중인가 봐

언제나 인생은 달콤하지 않은 것
언제나 사랑은 서두르지 않는 것

그저 눈시울이 찰랑거릴 뿐이야
그저 마음이 울렁거릴 뿐이야

이대로 그저 바라보는 일
이대로 그저 인정하는 일

사랑은 사라질 것 같이
얄팍해 보일 때도 있지만
보이는 것은 작은 것

사랑이란
그저 그런 듯이 보이지 않게
마음이 아는 그런 것

언제나 머무르고 있었다는 걸

혼자서 하는 인사

제 눈빛은 그대를 떠올리며
저녁노을처럼 붉게 물들어 갑니다

제 입술은 그대에게 닿을 수 없어
꽃잎처럼 시들어갑니다

제 하루는 그대 하나만으로
수없이 채워져
수없이 비워내야 합니다

내 사랑은 홀로 울고 웃다
홀로 사랑하다 홀로 슬퍼지다
혼자서 안녕하는 사랑

혼자서 하는 인사

잘자요 언제나
굿모닝

눈으로 말해요

사랑은 이런 걸까?

사랑하고 있다는 걸

지긋이 바라보는 눈빛이 전해주는 마음

날 위하는 마음의 온도

눈으로 전해지는 그 맘

기도

봄을 기다리는 설렘은
변하지 않으리라는 것을

나이 들어가더라도 아름다운 것들에
마음 녹슬어 가지 않으리라는 것을

마음이 전하는 따스한 사랑은
꺼지지 않으리라는 것을

우리가 더 사랑해야 하는 이유

예쁘고 멋지고
착하고 나에게 잘해주는 사람을
사랑하는 건 쉽다

안 예쁘고 안 멋지고
안 착하고 나에게 잘 안 해 주는 사람을
사랑하는 건 어렵다

우리가 더 사랑해야 하는 이유

풀꽃

햇살 등진 수줍은 허리춤
바람을 감싸고
조그만 꽃잎 피우며 해맑게 웃는다

그대 이름은 풀꽃
따로 이름이 있어도 풀꽃

그래도 괜찮아

풀꽃은 미소를 보낸다

들판에 풀꽃들이 피어나면
어떤 풀꽃과도 잘 어울려

서로서로 더 아름다워져

향기로운 것들은

향기로운 기억은 마음에 저장되어
그리움이란 감정으로 곰삭는다

그리움은 아련해지는 마음
그래서 기쁨보다는 슬픔이 자리하는 곳

향기로운 것들은 비슷한 것만 봐도
떠오르고 괜스레 그리워지는걸

세월이 흐를수록 그리움은 늘어만 가고
그만큼이나 늘어가는 산 기억들

되돌아갈 수 없어 속절없이
어느 사이 떠오르는 기억

아련함, 괜스레 슬픈

그대 내 품에

사랑하는 마음이 온전히 느껴질 때
그대 마음이 쏘옥 품 안으로
따스하게 포개져 올 때
스며들어 하나가 될 때

무심한 듯 둔한 그대의 마음이
이토록 따스할 수 있는지
의심하고 의심했지만
스스로 녹아버리네

오늘따라 그대 내 품에란
노래가 가슴 저미어 오네

내 품속에 다정하게
머물다 가네

첫눈이 내리면

첫눈이 날리는 날이면
나는 그대가 생각나네요
그대가 전해주는 이야기
사랑을 말하는 이야기라네

눈 맞으며 걷는 길 따라
우리의 이야기는 더 짙어져 가네

없어져 버린 것 같지만
가슴에 쌓여 가는 눈송이

하얀 눈처럼 날리던 꽃길을
흰 눈 소복이 맞으며 걸어가네

아마도 이대로 괜찮은 거 같아요

우리 함께 나눈 시간이 그리워지는
오늘이 내리니까요

가로등의 위로

가로등아! 너무 외로워 보여
그런데 오늘은 너보다 내가 더 슬픈 것 같아
바라보는 내내 자꾸 눈물이 고여

너는 주홍빛으로 밝게 비추며 울고 있구나
나는 처량한 눈물만 흘러

한밤중 적막하고 쓸쓸한 거리에
외롭고 슬픈 가로등과 나

나는 이만 집으로 돌아갈게
내일 해가 밝으면
오늘의 슬픔은 모르게 지나갈 거야

우린 밤의 정적 속에서
위로하는 사이니까

이별 비

깊어 가는 밤
가슴을 훑고 지나가 버린 서늘한 바람에
마음이 시려 창문을 닫는다

그나마 마음을 위로해주던 세상과
단절된 느낌이 들어 더 외로워지는 밤

어린 가슴은 흩어져버린 이별을 붙잡고
깊어진 슬픔은 눈시울을 붉혀

고삐 풀린 감정에 빗장을 걸어보지만
이내 숨이 막혀오는 듯

눈물로 쏟아져 버리는 아린 빗방울

오래된 노래

오래된 노래 중에는
과거진행형으로 운행하며
기억의 터널을 지나는 곡이 있다

가령 이승훈의 비 오는 거리를 들으면
장대비 속에서 느꼈던 슬픈 감정들이 떠올라
아릿하다

윤종신의 환생이란 노래가 나왔던 추웠던 봄날은
꽃이 피었었는지조차 기억이 나질 않고

누군가는 김현철의 연애란 노래를 열창했지만
조규찬의 믿어지지 않는 얘기로 끝나버려 씁쓸했지

사랑과 이별의 시간으로 각인된 노래는
마음의 심장에 저장되어
언제든 꺼내어지는 아픔의 보고서 같다

걷다 보면 더 걷고 싶어지는 밤

날 포근해진 밤

사람들 드물어진 길을 걸어요
그만의 느낌이 있죠

감성을 불어오는 고막 남친의 노래가
마음을 사로잡곤 해요

걷다 보면
더 걷고 싶어지는 밤

이 길을 걸어요

행복이란

차 한잔 마시면서
떠올려지는 아름다운 기억이 많다는 건
정말 달콤하고 행복한 일이에요

꿈꾸는 유랑

가볍게 짐을 꾸려야지
내 잠시 머물다 갈 자리
그 어느 곳인들 없으리

나를 붙잡고 있는 줄을 풀고
내가 붙잡고 있는 줄도 풀어

마음의 짐을 훌훌 털어버리고
가볍게 한 번 걸어보자

추억을 안으며 살자

삶이란 추억으로 남는 것
추억으로 쌓아가는 것

추억에 매달리는 것은
알고 보면 집착이겠지

추억에 아파하는 것은
슬프지만 미련이겠지

우리 추억을 고이 접어
안으며 살자

부디 안녕히

창밖에는
찬비가 흘러내리고
눈가에는
흐르지 못하는 눈물만
고이는 밤

쓸쓸한 마음이
스미는 고독한 밤
마음이 울고 있다

타들어 가는
심연의 갈증은
아픔으로 더 해지고
밤의 정적 또한 깊어만 가네

제발 슬픔이여 안녕히
이젠 눈물이여 안녕히

부디 안녕히
내일을 맞이하길

푸르른 들판의 노래

바람의 향기를 담고 있는 노래

언덕을 넘어와 고즈넉한 곳에
내가 앉아 있는 곳
그곳으로 불어와 주세요

머리를 스치며
볼을 어루만져주는 듯

상쾌해지는 바람의 노래를
불러주세요

하늘을 걷는 산책

걸으면서 바라본 하늘엔
햇살을 품고 있는 구름이
밝게 빛나고

긴 잠에서 깨어나
홀가분해진 마음처럼
그냥 좋은 산책길

하늘도 걸어 다닐듯한
가벼운 느낌

활짝 두 팔 벌려
바람도 안아보고
깊은숨도 들이마시며
얼굴로 퍼지는 미소 쌩긋

자연의 푸르른 풍경 속에서
치유되어 청량해지는

영혼의 반짝임이여